Les **30** plus belles
chansons
françaises

Les 30 plus belles chansons françaises

GALLIMARD JEUNESSE

Sommaire

Cadet Rousselle

Cadet Rousselle a trois maisons *(bis)*
Qui n'ont ni poutres, ni chevrons *(bis)*
C'est pour loger les hirondelles
Que direz-vous d'Cadet Rousselle ?

Refrain
Ah ! Ah ! Ah ! Oui, vraiment
Cadet Rousselle est bon enfant !

Cadet Rousselle a trois habits *(bis)*
Deux jaunes, l'autre en papier gris *(bis)*
Il met celui-là quand il gèle
Ou quand il pleut, ou quand il grêle

Cadet Rousselle a trois beaux yeux *(bis)*
L'un r'garde à Caen, l'autre à Bayeux *(bis)*
Comme il n'a pas la vue bien nette
Le troisième œil c'est sa lorgnette

Cadet Rousselle a une épée *(bis)*
Très longue mais toute rouillée *(bis)*
On dit qu'elle ne cherche querelle
Qu'aux moineaux et aux hirondelles

Cadet Rousselle a trois garçons *(bis)*
L'un est voleur, l'autre fripon *(bis)*
Le troisième est un peu ficelle
Il ressemble à Cadet Rousselle

Cadet Rousselle a trois gros chiens *(bis)*
L'un court au lièvre, l'autre au lapin *(bis)*
Le dernier fuit quand on l'appelle
Comme le chien de Jean de Nivelle

Cadet Rousselle ne mourra pas *(bis)*
Car avant de sauter le pas *(bis)*
On dit qu'il apprend l'orthographe
Pour faire lui-même son épitaphe

Frère Jacques

Frère Jacques *(bis)*
Dormez-vous ? *(bis)*
Sonnez les matines *(bis)*
Ding ding dong *(bis)*

Il était une bergère

Il était une bergère
Et ron et ron, petit patapon
Il était une bergère
Qui gardait ses moutons ron, ron
Qui gardait ses moutons

Elle fit un fromage
Et ron et ron, petit patapon
Elle fit un fromage
Du lait de ses moutons ron, ron
Du lait de ses moutons

Le chat qui la regarde
D'un petit air fripon

Si tu y mets la patte
Tu auras du bâton

Il n'y mit pas la patte
Il y mit le menton

La bergère en colère
Battit le p'tit chaton

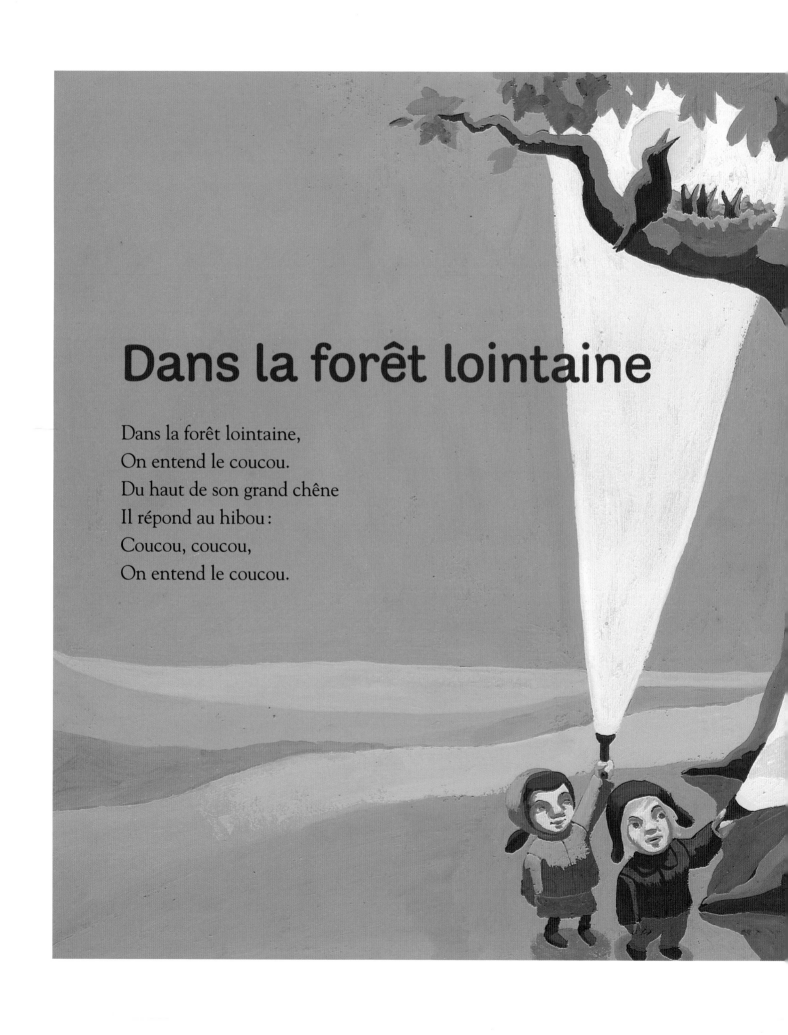

Dans la forêt lointaine

Dans la forêt lointaine,
On entend le coucou.
Du haut de son grand chêne
Il répond au hibou :
Coucou, coucou,
On entend le coucou.

J'habite une maison citrouille

J'habite une maison citrouille
Rapetipeton le soleil est rond } *(bis)*
J'aime les grenouilles
Et la pluie qui mouille
Et l'omelette aux hannetons *(bis)*

Refrain
Tape du pied, frappe des mains
Claque des doigts, et clac, clac, clac . . . } *(bis)*

J'habite une maison patate
Rapetipetou chante le coucou } *(bis)*
J'ai du poil aux pattes
J'aime les tomates
Et tirer la queue du hibou *(bis)*

J'habite une maison baignoire
Rapetipetoto dansent les crapauds } *(bis)*
J'aime les histoires
Les pommes et les poires
Et le bon gigot d'asticots *(bis)*

J'habite une maison chaussure
Rapetipetou le renard est roux } *(bis)*
Je peins les voitures
À la confiture
J'les fais lécher par les matous *(bis)*

Marie miam miam

Marie miam miam est une sorcière
Marie miam miam a un chaudron
Marie miam miam mange les enfants
Marie miam miam les mange tout rond

Marie miam miam aime les p'tits gars
Les p'tits garçons qui sont bien ronds
Marie miam miam aime les p'tites filles
Les petites filles à la vanille

Marie miam miam chante sa chanson
Quand elle fait bouillir son chaudron
Marie miam miam chante sa chanson
Quand elle prépare un bon bouillon

Mais les p'tits gars et les p'tites filles
N'se laissent pas faire par la sorcière
Avec le dos de la cuillère
Paf ! un grand coup sur la caf'tière

Marie miam miam n'est plus sorcière
On peut s'baigner dans la rivière
Y'a plus de raison d'se cacher
Elle ne pourra plus nous manger

Marie miam miam n'est plus sorcière
Elle est toute cuite dans sa marmite
Les petites filles et les p'tits garçons
Cueillent des jonquilles et font des bonds

Le petit bonhomme de chemin

Dans la forêt, un matin
J'ai trouvé un petit chemin
Un petit bonhomme de chemin
Qui s'est arrêté soudain

L'avait l'air abandonné
Au creux d'un fossé
En pleurant tout doucement
Il appelait sa maman

Il avait perdu son ch'min
Le petit bonhomme
Il avait perdu son ch'min
Le petit bonhomme de chemin

Faisant l'école buissonnière
La tête en l'air, le nez au vent
Il sautait ruisseaux et rivières
Un beau matin de printemps

Il avait couru gaiement
À travers les champs
Sans regarder en arrière
Se perdit dans une clairière

Il avait perdu son ch'min
Le petit bonhomme
Il avait perdu son ch'min
Le petit bonhomme de chemin

J'ai souri au petit ch'min
Et je lui ai tendu la main
Avec moi il s'est senti bien
A mis ses pas dans les miens

Il a retrouvé son ch'min
Suivant son instinct
La grand-route il a rejoint
Et j'ai perdu un copain

Tout seul je poursuis sans fin
Mon petit bonhomme
Tout seul je poursuis sans fin
Mon petit bonhomme
de chemin *(bis)*

Les beaux yeux

De beaux yeux bleus,
De beaux yeux noirs,
Des yeux tout bleus,
Des yeux tout noirs,
Je les ai vus briller ce soir :
Ah ! les beaux bleus,
Ah ! les beaux noirs !
Faut-il choisir les yeux bleus ?
Faut-il choisir les yeux noirs ?
Les yeux bleus me feront heureux,
Les yeux noirs me rendront l'espoir.
Les beaux yeux bleus !
Les beaux yeux noirs !
J'en veux un bleu,
J'en veux un noir !

Nagawicka

Un petit Indien
Nagawicka
Chantait gaiement sur le chemin
Nagawicka, Nagawicka } *(bis)*

Quand je serai grand…
J'aurai un arc et un carquois…

Avec mes flèches…
Je chasserai le grand bison…

Sur mon cheval…
J'irai plus vite que le vent…

Autour du feu…
Je danserai toute la nuit…

Petit oiseau d'or et d'argent

Petit oiseau d'or et d'argent
Ta mère t'attend au bout du champ
Pour y manger du lait caillé
Pour y porter le lait caillé
Que la souris a barboté
Pendant une heure de temps
Petit oiseau va-t en
Pendant une heure, deux heures
Trois heures, quatre heures
Cinq heures, six heures
Sept heures, huit heures
Neuf heures, dix heures
Onze heures, midi
Sur l'clocher d'Paris

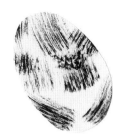

Dis-moi, m'amour la caille

Dis-moi, m'amour la caille, où t'as ton nid ? *(bis)*
Où t'as ton nid, m'amour, où t'as ton nid ?
Là-haut sur la montagne, le long d'un ru, *(bis)*
Le long d'un ru, m'amour, le long d'un ru.
Dis-moi, m'amour la caille, de quoi bâti ? *(bis)*
De quoi bâti, m'amour, de quoi bâti ?
De fleur de marjolaine, de romarin, *(bis)*
De romarin, m'amour, de romarin.

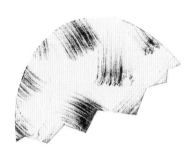

Dis-moi, m'amour la caille, de quoi dedans ? *(bis)*
De quoi dedans, m'amour, de quoi dedans ?
Trois œufs comme les autres, mais plus jolis, *(bis)*
Mais plus jolis, m'amour, mais plus jolis.
Dis-moi, m'amour la caille, sont-ils éclos ? *(bis)*
Sont-ils éclos, m'amour, sont-ils éclos ?
Écoute dans les bois leur gazouillis, *(bis)*
Leur gazouillis, m'amour, leur gazouillis.

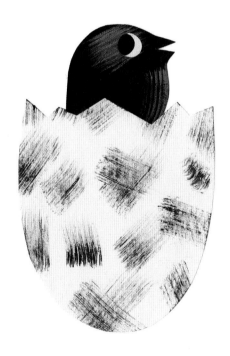

Pirouette, cacahuète

Il était un petit homme
Pirouette, cacahuète
Il était un petit homme
Qui avait une drôle de maison (*bis*)

La maison est en carton
Pirouette, cacahuète
La maison est en carton
Les escaliers sont en papier (*bis*)

Si vous voulez y monter
Vous vous casserez le bout du nez

Le facteur y est monté
Il s'est cassé le bout du nez

On lui a raccommodé
Avec un joli fil doré

Le fil doré s'est cassé
Le bout du nez s'est envolé

Un avion à réaction
A rattrapé le bout du nez

Mon histoire est terminée
Messieurs, Mesdames, applaudissez

Nous n'irons plus au bois

Nous n'irons plus au bois
Les lauriers sont coupés
La belle que voilà
La laisserons-nous danser ?

Refrain
Entrez dans la danse
Voyez comme on danse
Sautez, dansez
Embrassez qui vous voudrez

Mais les lauriers du bois
Les laisserons-nous faner
Non, chacune à son tour
Ira les ramasser

Si la cigale y dort
Ne faut pas la blesser
Le chant du rossignol
Viendra la réveiller

Cigale, ma cigale
Allons, il faut chanter
Car les lauriers du bois
Sont déjà repoussés

Bonjour ma cousine

– Bonjour ma cousine,
– Bonjour mon cousin germain,
– On m'a dit que vous m'aimiez,
Est-ce bien la vérité ?
– Je n'm'en soucie guère,
Je n'm'en soucie guère,
Passez par ici et moi par là,
– Au revoir ma cousine et puis voilà !

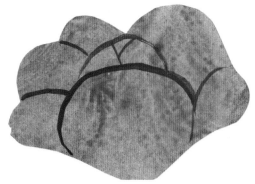

Savez-vous planter les choux ?

Savez-vous planter les choux,
À la mode, à la mode ?
Savez-vous planter les choux,
À la mode de chez nous ?
– On les plante avec le pied
À la mode, à la mode.
– On les plante avec le pied,
À la mode de chez nous !

Savez-vous planter les choux...
– On les plante avec la main...

Savez-vous planter les choux...
– On les plante avec le coude...

Savez-vous planter les choux...
– On les plante avec le nez...

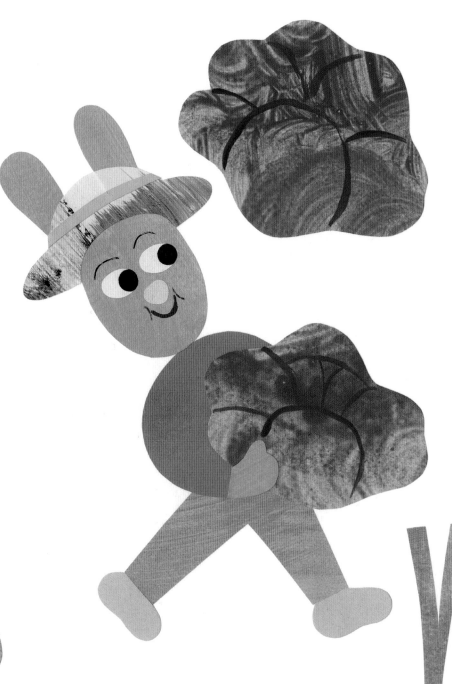

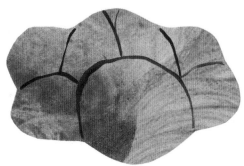

Bonjour Guillaume

– Bonjour, Guillaume,
as-tu bien déjeuné ?
– Mais oui, madame,
j'ai mangé du pâté
du pâté d'alouette,
Guillaume Guillaumette
Chacun s'embrassera
et Guillaume restera !

Tuip toup toudoup

Dans la basse-cour de la ferme
Quatre poules en picorant
Caquetaient comme des commères
Bien des choses les choquant

Et moi, j'ai tendu l'oreille
Pour savoir ce qu'elles disaient
J'ai dû rater certains détails
Mais ça faisait à peu près…

Tuip' toup' toudoup'
Tuip' tuip' tuip' toudoup'
Tuip' toup' toudoup'
Doubidou bidou bidou bidou
Bidou bidou bidou bidou bi
Tuip' toup' toudoup'
Tuip' tuip' tuip' toudoup'
Tuip' toup' toudoup'
Doubidoub' doubidoub'
Doubidoub' doub' doub'

Dans la basse-cour de la ferme
Un bataillon de canards
Semblaient se disputer ferme
Tout en boitant vers la mare

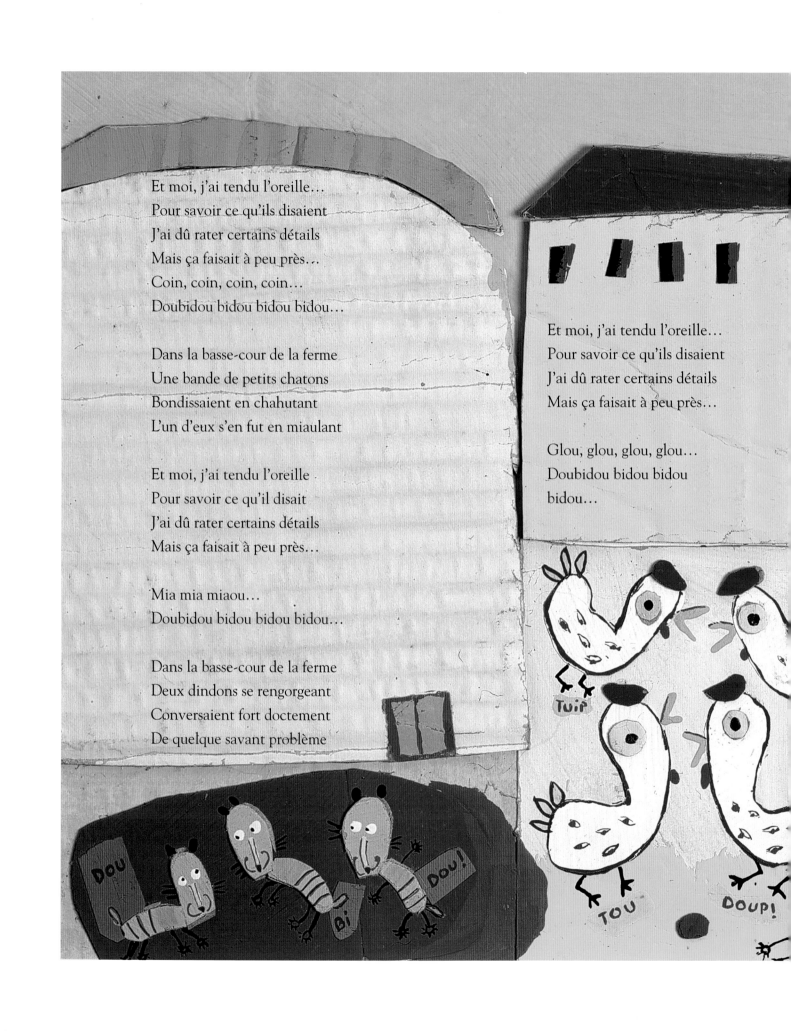

Et moi, j'ai tendu l'oreille…
Pour savoir ce qu'ils disaient
J'ai dû rater certains détails
Mais ça faisait à peu près…
Coin, coin, coin, coin…
Doubidou bidou bidou bidou…

Dans la basse-cour de la ferme
Une bande de petits chatons
Bondissaient en chahutant
L'un d'eux s'en fut en miaulant

Et moi, j'ai tendu l'oreille
Pour savoir ce qu'il disait
J'ai dû rater certains détails
Mais ça faisait à peu près…

Mia mia miaou…
Doubidou bidou bidou bidou…

Dans la basse-cour de la ferme
Deux dindons se rengorgeant
Conversaient fort doctement
De quelque savant problème

Et moi, j'ai tendu l'oreille…
Pour savoir ce qu'ils disaient
J'ai dû rater certains détails
Mais ça faisait à peu près…

Glou, glou, glou, glou…
Doubidou bidou bidou
bidou…

Quand trois poules vont aux champs

Quand trois poules vont aux champs
La première va devant
La deuxième suit la première
La troisième est la dernière

Quand trois poules vont aux champs
La première va devant

(Reprise)

Il était une fermière

Il était une fermière qui allait au marché
Elle portait sur sa tête trois pommes
dans un panier
Les pommes faisaient rouli roula *(bis)*
Stop !
Trois pas en avant,
Trois pas en arrière,
Trois pas sur le côté,
Trois pas de l'autre côté !

La p'tite hirondelle

Passe, passe, passera
La dernière, la dernière
Passe, passe, passera
La dernière restera *(bis)*

Qu'est-ce qu'elle a donc fait
La p'tite hirondelle ?
Elle nous a volé
Trois p'tits grains de blé
Nous l'attraperons
La p'tite hirondelle
Et nous lui donnerons
Cent p'tits coups d'bâton

Dis un nombre !

Un petit cochon pendu au plafond

Un petit cochon pendu au plafond
Tirez-lui la queue
Il pondra des œufs
Tirez-lui plus fort
Il pondra de l'or
Combien en voulez-vous ?
– Six !
– Un, deux, trois, quatre, cinq, six,
tu sors !

Mon âne

Mon âne, mon âne
A bien mal à la tête
Madame lui fait faire
Un bonnet pour sa tête
Un bonnet pour sa tête
Et des souliers lilas, la, la
Et des souliers lilas

Mon âne, mon âne
A bien mal aux oreilles
Madame lui fait faire
Une paire de boucles d'oreilles
Une paire de boucles d'oreilles
Un bonnet pour sa tête
Et des souliers lilas, la, la
Et des souliers lilas

Mon âne, mon âne
A bien mal à ses yeux
Madame lui fait faire
Une paire de lunettes bleues
Une paire de lunettes bleues
Une paire de boucles d'oreilles
Un bonnet pour sa tête
Et des souliers lilas, la, la
Et des souliers lilas

Mon âne, mon âne
A bien mal à ses dents
Madame lui fait faire
Un râtelier d'argent

Mon âne, mon âne
A mal à l'estomac
Madame lui fait faire
Une tasse de chocolat

22

La capucine

Dansons la capucine
Y a pas de pain chez nous
Y en a chez la voisine,
Mais ce n'est pas pour nous,
Piou !

Pimpanicaille

Le roi des papillons
En se rasant la barbe
S'est coupé le menton
1, 2, 3, de bois
4, 5, 6, de bise
7, 8, 9, de bœuf
10, 11, 12, de bouse
Va-t en à Toulouse !

Il était un petit navire

Il était un petit navire *(bis)*
Qui n'avait ja-ja-jamais navigué
Qui n'avait ja-ja-jamais navigué
Ohé, ohé !

Refrain
Ohé, ohé ! Matelot
Matelot navigue sur les flots
Ohé, ohé ! Matelot
Matelot navigue sur les flots

Il partit pour un long voyage *(bis)*
Sur la mer Mé-Mé-Méditerranée
Sur la mer Mé-Mé-Méditerranée
Ohé, ohé !

Au bout de cinq à six semaines
Les vivres vin-vin-vinrent à manquer

On tira z'à la courte paille
Pour savoir qui-qui-qui serait mangé

Le sort tomba sur le plus jeune
C'est donc lui qui-qui-qui serait mangé

Au même instant dans le navire
Des p'tits poissons sau-sau-sautèrent
par milliers

On les prit, on les mit à frire
Le jeune mou-mou-mousse fut sauvé

À Paris,
il y a un petit grain d'or

À Paris, il y a un petit grain d'or
À Paris, il y a un petit grain d'or
Un petit grain d'or
Et l'enfant s'endort
Dors, mon cher amour
Jusqu'au tout grand jour

Un p'tit soleil

Un p'tit soleil tout chaud, tout rond
Est tombé ce matin sur terre
Il s'est cogné à la barrière
La barrière bleue de l'horizon
Et le voilà tout chaud, tout rond
Avec une bosse sur le front

Je cours vers lui, je le ramasse
Le fourre au fond de ma besace
Allons ensemble à la mare
À la grande mare des canards
Elle va bouillir comme une bouilloire
Oh ! Mes amis, mais quel brouillard !

Petit soleil tout chaud, tout rond
Tu as perdu un d'tes rayons
Ne pleure pas, garde tes larmes
Qui sont de belles petites flammes
Sinon ce s'ra un incendie
À travers tout, tout le pays

Au clair de la lune

Au clair de la lune
Mon ami Pierrot
Prête-moi ta plume
Pour écrire un mot
Ma chandelle est morte
Je n'ai plus de feu
Ouvre-moi ta porte
Pour l'amour de Dieu

Au clair de la lune
On n'y voit qu'un peu
On chercha la plume
On chercha du feu
En cherchant d'la sorte
Je n'sais c'qu'on trouva
Mais je sais qu'la porte
Sur eux se ferma

Au clair de la lune
Pierrot répondit :
Je n'ai pas de plume
Je suis dans mon lit
Va chez la voisine
Je crois qu'elle y est
Car dans sa cuisine
On bat le briquet

À la claire fontaine

À la claire fontaine
M'en allant promener
J'ai trouvé l'eau si belle
Que je m'y suis baignée

Refrain
Il y a longtemps que je t'aime
Jamais je ne t'oublierai

Sous les feuilles d'un chêne
Je me suis fait sécher
Sur la plus haute branche
Un rossignol chantait

Chante, rossignol, chante
Toi qui as le cœur gai
Tu as le cœur à rire
Moi, je l'ai à pleurer

J'ai perdu mon ami
Sans l'avoir mérité
Pour un bouquet de roses
Que je lui refusai

Je voudrais que la rose
Fût encore au rosier
Et que mon ami Pierre
Fût encore à m'aimer

Fais dodo, Colas mon p'tit frère

Fais dodo, Colas mon p'tit frère
Fais dodo, t'auras du lolo

Maman est en haut
Qui fait des gâteaux
Papa est en bas
Qui fait du nougat

Si tu fais dodo
Maman vient bientôt
Si tu ne dors pas
Elle ne viendra pas

Crédits

Tous les titres de cette compilation sont extraits de livres-CD du catalogue Gallimard Jeunesse Musique.
Merci aux auteurs et illustrateurs qui ont eu l'obligeance de nous accorder l'autorisation de reproduire leur œuvre dans cette anthologie. Leur confiance nous honore et leur participation est précieuse.

1 Cadet Rousselle. **2** Frère Jacques. **3** Il était une bergère. **12** Pirouette, cacahuète. **13** Nous n'irons plus au bois. **25** Il était un petit navire. **22** Mon âne. **28** Au clair de la lune. **20** À la claire fontaine.
Extraits du CD de « *Chansons de France pour les petits* ».
Illustrations : Clémence Pénicaud, 2010. Chansons traditionnelles. Arrangements de Bernard Davois et Jean-Philippe Crespin / Gallimard Jeunesse. Les musiciens du CD : Laura, Ninon, Pol, Alma et Nella (voix enfants), Paule du Bouchet, Jean-Philippe Crespin et Bernard Davois (voix adultes), Jean-Philippe Crespin (guitares), Youenn Leberre (flûtes), Diego Imbert (contrebasse), Vincent Peirani (accordéon), Jorge Bezerra Junior (percussions), François Lemonnier (trombone). Ⓟ Gallimard Jeunesse, 2010.

7 Le petit bonhomme de chemin. Paroles de François Laurière et Bernard Davois / Éditions Transatlantiques. Musique de Bernard Davois / Éditions Transatlantiques. © 1999 by Éditions Transatlantiques (album *Les Cerfs-volants écervelés*). Réenregistré avec l'aimable autorisation de Campbell Connelly France / Première Musique Group / Éditions Transatlantiques. Tous droits réservés. **17** Tuip toup toudoup. Paroles et musique de Bernard Davois / Gallimard Jeunesse.
Extraits du CD de « *Chanter en voiture* ». Illustrations : Aurélia Fronty et Christine Destours, 2004. Les musiciens du CD : Natacha Fialkovsky et Bernard Davois (voix adultes), Laura et Alam Coz, Pierre de Monès, Sébastien Cacéres-Durey et Juliette Bettencourt (voix enfants), Jean-Philippe Crespin (guitares), Aliocha Zanotti (percussions), Rémy Chatton (contrebasse), Roberto de Brashov (accordéon), Nano Peylet (clarinette), Raphël Coz (harmonica et guimbarde), José Ponzone (saxophone), Chloé Naurel (flûte traversière), Marie-Odile Wettstein (hautbois), Bernard Davois (ukulélé, kéna). Ⓟ Gallimard Jeunesse, 2004.

4 Dans la forêt lointaine. Illustration : Elene Usdin, 2002. Chanté par Faustine de Monès. **8** Les beaux yeux. Illustration : Elene Usdin, 2002. Paroles et musique de Luc Decaunes in *Chansons pour un bichon* © Éditions Seghers, 1979. Chanté par Faustine de Monès et Natacha Fialkovsky.
Extraits du « *Poésies, comptines et chansons pour tous les jours* ». Les musiciens du CD : Michel Derouin (flûte et piano), Renaud Debazeille (clarinette et clarinette basse), Catherine Coquet (hautbois et cor anglais), Frédéric Gauthier, Yonella Christu et Papa Dieye (percussions). Ⓟ Gallimard Jeunesse, 2002.

14 Bonjour ma cousine. Illustration : Olivier Tallec, 2003. **15** Savez-vous planter les choux ? Illustration : Caroline Dall'Ava, 2014. **16** Bonjour Guillaume. Illustration : Clotilde Perrin, 2014. **19** Il était une fermière. Illustration : Olivier Tallec, 2003. **23** La capucine. Illustration : Olivier Tallec, 2003.
Extraits du CD de « *Mon imagier des rondes* ». Chansons traditionnelles. Arrangements de Bernard Davois / Gallimard Jeunesse. Les musiciens du CD : Bernard Davois (voix adulte), Laura, Thaïs, Colas, Alma, Pierre et Robin (voix enfants), Jean-Philippe Crespin (guitare), Thierry Accard (accordéon), Bruno Girard (violon), Rémy Chaton (contrebasse), Iurie Morar (cymbalum), Thomas Ostrowiecky (percussions), Jean Peylet (clarinette), Youenn Leberre (flûte).
Ⓟ Gallimard Jeunesse, 2003.

10 Petit oiseau d'or et d'argent. Illustration : Caroline Dall'Ava, 2014. Chanson traditionnelle.
20 La p'tite hirondelle. Illustration : Olivier Tallec, 2003. Chanson traditionnelle.
16 Quand trois poules vont aux champs. Illustration : Olivier Tallec, 2006. Chanson traditionnelle.
24 Pimpanicaille. Illustration : Clotilde Perrin, 2014. Chanson traditionnelle. **21** Un petit cochon pendu au plafond. Illustration : Olivier Tallec, 2003. Chanson traditionnelle. Extrait du CD de « *Mon imagier des comptines à compter* ». Arrangements de Bernard Davois et Jean-Philippe Crespin / Gallimard Jeunesse. Les musiciens du CD : Anne Le Coutour et Bernard Davois (voix adultes), Breyten, Cléa, Cordélia, Juliette et Simon (voix enfants), Jean-Philippe Crespin (guitares, claviers, basses), Pierre Jacquet (contrebasse), Michael Notebaert (batterie), Juan Sébastien Jimenez (quatro, bongos, percussions diverses et vocales), Yacouba Diebate (kora), Bernard Davois (siku, kena), Samba Kaba (djembé). Ⓟ Gallimard Jeunesse, 2006.

5 J'habite une maison citrouille. Arrangement de Bernard Davois et Jean-Philippe Crespin / Gallimard Jeunesse.
6 Marie miam miam in *Les Cerfs-volants écervelés*. Paroles de Marie Chmakoff, musique de Bernard Davois.
9 Nagawicka. Paroles et musique de Jacky Galou. © Monde Melody – droits transférés à Campbell Connelly France © Éditions Transatlantiques – droits transférés à Première Music Group. **27** Un p'tit soleil. in *Les cerfs-volants écervelés*. Paroles de Marie Chmakoff, musique de Bernard Davois. © Éditions Transatlantiques – droits transférés à Première Music Group. Extraits du CD de « *Mon imagier des comptines de la maternelle* ». Illustrations : Charlotte Roederer. Les musiciens du CD : Philippe Mallard (accordéon), Natacha Fialkovsky (balalaïka), Tosha Vukmirovic (clarinette), Diego Imbert (contrebasse), Jean-Philippe Crespin (guitares, bouzouki, ukulélé, petites percussions), Jorge Bezerra (percussions). Voix enfants : Sailor (4 ans), Léonard (4 ans), Paola (6 ans), Kheïra (6 ans), Nella (7 ans), Corto (7 ans). Voix adultes : Natacha Fialkovsky et Bernard Davois. Ⓟ Gallimard Jeunesse, 2013

11 Dis-moi m'amour, ma caille. Illustration : Caroline Dall'Ava, 2014. **26** À Paris, il y a un petit grain d'or. Illustration : Clotilde Perrin, 2014. **30** Fais dodo, Colas mon p'tit frère. Illustration : Caroline Dall'Ava, 2014. Extraits du CD de « *Mon imagier des berceuses* ». Chansons traditionnelles. Compositions et arrangements : Bernard Davois et Jean-Philippe Crespin. Les musiciens du CD : Jean-Philippe Crespin (guitares et bouzouki), Vincent Peirani (accordéon), Daniel Beaussier (flûte, clarinette), Bernard Davois (kena, pinkillo), Jorge Bezerra Junior (percussions), Kevin Reveyrand (basse et contrebasse). Voix adultes : Natacha Fialkovsky et Bernard Davois. Voix enfants : Constantin Crespin (14 mois), Nella Delbecq (3 ans et demi), Pol Delbecq (8 ans) et Laura Coz (15 ans). Ⓟ Gallimard Jeunesse, 2007

À DÉCOUVRIR AUSSI...

GALLIMARD JEUNESSE MUSIQUE

Hors série Musique...

Mes premières découvertes de la musique...

Le tubes des tout-petits...

Mon imagier...

Mes plus belles...

Mes petits livres sonores...

Mes petits imagiers sonores...

Gallimard Jeunesse Musique : Paule du Bouchet
Édition : Claire Babin
Graphisme : Marguerite Courtieu

ISBN : 978-2-07-065930-2
© Édition Gallimard Jeunesse 2014 pour cette anthologie
Loi n° 49-956 du 16 juillet 1949 sur les publications
destinées à la jeunesse
Numéro d'édition : 264289
Dépôt légal : octobre 2014
Imprimé en Chine

Le trésor de l'heure des histoires

Les 30 plus belles histoires
pour les tout-petits

Les plus belles histoires
pour les enfant de 3 ans

Les plus belles histoires
pour les enfant de 4 ans

Les plus belles histoires
pour les enfant de 5 ans

Les plus belles histoires
pour les enfant de 6 ans

Les plus belles histoires
pour l'école maternelle

Les 15 plus belles histoires
pour les petites filles

Les 15 plus belles histoires
pour les petits garçons

Les 15 plus belles histoires
de princes et de princesses

Les 20 plus belles
histoires à lire le soir

Les 20 plus belles histoires
des papas et des mamans

Les 25 plus belles
histoires de Noël

Les 15 plus beaux contes
pour les enfants

Le grand livre de
la petite princesse

Les plus belles histoires
du prince de Motordu

Le Trésor de l'enfance

Le grand livre de contes
de Gallimard Jeunesse

Les 40 plus belles
comptines et chansons